CB025783

V H M

Valter Hugo Mãe

O paraíso são os outros

Por decisão do autor, esta edição mantém a grafia do texto original e
não segue o Acordo Ortográfico de Língua Portuguesa (Decreto Legislativo
nº 54, de 1995). Este livro não pode ser vendido em Portugal.

EDITORA RESPONSÁVEL Erika Nogueira
EDITORA ASSISTENTE Luisa Tieppo
REVISÃO Rebeca Michelotti
PROJETO GRÁFICO, CAPA E DIAGRAMAÇÃO Bloco Gráfico
PRODUÇÃO GRÁFICA Lilia Góes

CIP-BRASIL. CATALOGAÇÃO NA PUBLICAÇÃO
SINDICATO NACIONAL DOS EDITORES DE LIVROS, RJ

M16p
Mãe, Valter Hugo [1971–]
O paraíso são os outros:
texto e ilustração Valter Hugo Mãe
2ª ed., Rio de Janeiro: Biblioteca Azul, 2018
64 pp., 49 ils.; 18 cm

ISBN 9788525065971

1. Romance português. I. Título.

18-47908 CDD: 869.3

CDU: 821.134.3-3

1ª edição, 2014 [Cosac Naify]
2ª edição, Editora Globo, 2018; 10ª reimpressão, 2024

Direitos exclusivos de edição em língua portuguesa,
para o Brasil adquiridos por Editora Globo S.A.
Rua Marquês de Pombal, 25
20.230-240 – Rio de Janeiro – RJ – Brasil
www.globolivros.com.br

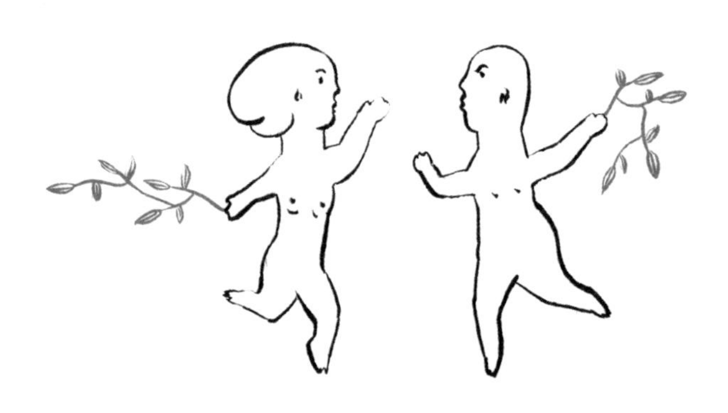

O paraíso são os outros *é dedicado à minha querida Olga Antonieta Almeida e ao António Trindade. Guarda também um forte abraço ao grande Ignácio de Loyola Brandão, a quem assisti a uma das mais belas declarações de amor, naturalmente feita à sua esposa, Márcia Gullo. Ignácio disse que, se pudesse voltar atrás, não sabia o que mudaria na sua vida. Disse, no entanto, saber o que não mudaria nunca: o amor por Márcia. Todos quantos ouvimos achamos ter acontecido ali, de modo espontâneo, a mais preciosa das situações da vida.*

Reparo desde pequena que os adultos vivem muito em casais. Mesmo que não sejam óbvios, porque algumas pessoas têm par mas andam avulsas como as solteiras, há casais de mulher com homem, de homem com homem e outros de mulher com mulher. Depois, há casais de pássaros, coelhos, elefantes, besouros. Os pinguins são absurdamente fiéis, quero dizer: há também casais de pinguins, e até de golfinhos. Tudo por causa do amor.

O amor constrói. Gostarmos de alguém, mesmo quando estamos parados durante o tempo de dormir, é como fazer prédios ou cozinhar para mesas de mil lugares.

Mas amar é um trabalho bom. A minha mãe diz.

Vivo num lugar quente. A gente aqui tem muitos mosquitos e encontra borboletas nas flores. No verão abrem-se as janelas mas colocam-se redes. Ficamos a ver tudo coado por essa brancura. Também há gatos soltos e outros dentro das casas. Os gatos soltos são os nossos. Eles entram no quintal e levam os restos. Andam em beiras estreitas. Todos os gumes são estradas para eles. Sabem não cair e, quando caem, sabem cair.

Alguns casais de bichos também são de pinguim homem com pinguim homem ou de golfinho mulher com golfinho mulher. Mas eu nunca vi e não tenho provas. Nunca sequer vi um pinguim ou um golfinho e fico triste por isso.

Os gatos são casais misturados. Eu acho. Não são fiéis. Os cachorros também não. São fiéis aos donos mas, entre si, não namoram com muito cuidado.

A minha mãe explica que o amor também é namorar com cuidado.

Eu adoraria ver jacarés, ursos brancos ou cobras de dez metros. Uma vizinha da nossa rua tem uma galinha-d'angola vaidosa. Eu gosto de animais e mais ainda dos esquisitos e invulgares, até dos que parecem feios por serem indispostos.

Os bichos só são feios se não entendermos os seus padrões de beleza. Um pouco como as pessoas. Ser feio é complexo e pode ser apenas um problema de quem observa.

Uso óculos desde os cinco anos de idade. Estou sempre por detrás de uma janela de vidro. Não faz mal, eu inteira sou a minha própria casa. Sou como o caracol, mas muito mais alta e veloz. A minha mãe também acha assim, que o corpo é casa. Habitamos com maior ou menor juízo.

O jacaré é um bicho indisposto, eu sei. Gosto dele mas não devo chegar perto. Nunca vi, já disse. Tenho pena. Talvez seja pior, o jacaré, por não amar. Eu gosto dele mas não sei se constrói. Estou a ser sincera. Ainda tenho de ler sobre isso.

Talvez os bichos ferozes construam coisas às quais não sabemos dar valor. É importante pensarmos no valor que cada coisa ou lugar tem para cada bicho. Só assim vamos saber por que razão cada um é como é. Depois de entendermos melhor, a beleza comparece.

Os casais são criados por causa do amor. Eu estou sempre à espera de entender o que é. Sei que é algo como gostar tanto que dá vontade de grudar. Ficar agarrado, não fazer nada longe. Os casais são isso: gente muito perto. Quero dizer: acompanhando, porque mesmo em viagem não deixam de acompanhar, pensam o dia inteiro um no outro.

Às vezes, falamos com alguém que pertence a um casal e essa pessoa nem ouve porque está a pensar em quem ama. Chega a ser bizarro. Quase mal-educado.

Os casais, de todo o modo, não são fechados, têm amigos e outra família, alguns têm filhos. Filhos que eles próprios geraram ou que adotaram para criar.

Os filhos, conseguidos de uma forma ou de outra, são invariavelmente valiosos. Mães e pais, juntos ou separados, são sempre mães e pais e não perdem o amor.

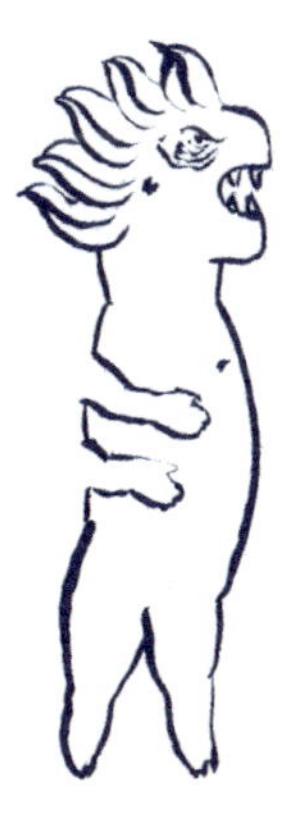

Apenas as doenças fazem mães e pais perder o amor. Cientistas de todo o mundo procuram urgentemente uma cura. Mas não parece nada fácil. Creio que só uma esperança qualquer pode curar.

A esperança parece inventada pela espera. Eu não sei esperar. Todos os dias me assusto por não ter esperança. Quero muito ter. A minha mãe manda fazer um esforço. Ela diz: acredita sempre. Eu acredito, só não estou certa de saber ficar à espera. Quando for maior vou seguramente melhorar neste desafio.

Os casais têm muitos processos para se consumarem. Alguns vestem-se de cores bonitas ou de branco muito limpo, assinam papéis, convidam gente para ver. Outros, comem para engordar e convidam gente para engordar com eles. Quem casa, normalmente, engorda de qualquer jeito.

Há casais que se conhecem num transporte público, numa praça ou no trabalho e ficam. Ficam casais, quero dizer. Dão abraços, trocam números de telefone, assistem a filmes a preto e branco, comem mais doces, reluzem.

Embora existam os que fazem festas, há uma infinidade de casais que não as têm, e outros nem dizem nada a ninguém. Vão viver juntos ou não. São casais mas só eles sabem. Gostam um do outro, mas só eles sabem. Muitos amores são discretos. Deve ser como construir prédios em lugares onde nunca ninguém foi, para poder construir em segredo.

Uma vizinha nossa desapareceu. Soubemos que estava apaixonada num país longínquo. A minha mãe diz que ela agora vive de pernas para o ar porque foi para o lado de baixo do globo terrestre. Eu imagino que a saia dela levante e seja difícil caminhar.

A coisa mais divertida de perceber: os casais não eram família antes. Eram gente desconhecida que se torna família. Mesmo que os filhos julguem que pai e mãe se conhecem desde sempre, isso não precisa de ser verdade.

Os adultos apaixonam-se ao acaso, ainda que façam um esforço para escolher muito ou com muita inteligência. Já aprendi. O amor é um sentimento que não obedece nem se garante. Precisa de sorte e, depois, de empenho. Precisa de respeito. Respeito é saber deixar que todos tenham vez. Ninguém pode ser esquecido.

Por vezes, faço uma lista com os nomes das minhas pessoas importantes para as lembrar. Mesmo que não lhes fale, penso em como estarão, se bem ou mal. Quando me parece que podem estar mal telefono a perguntar. Quase sempre estou errada. Mas gosto de ter a certeza do erro.

A minha mãe diz que só crescemos quando reconhecemos os nossos erros. Enquanto não o fizermos seremos menores. Crescer é diferente de aumentar de tamanho ou ganhar idade. A minha mãe diz que grandes são os que se corrigem.

Eu fui bem avisada: a pessoa que um dia amarei haverá de estar em algum lugar entretida com a sua vida, como eu. Não a conheço ainda. Já me disseram que seria o Miguel, ele é maravilhoso. Não confio muito, juro que não.

Há tanta gente maravilhosa. Eu ando a ver se percebo os meus avós e as minhas primas estrangeiras que falam engraçado. Tenho tudo para ouvir e ver. Ainda não sei nada. Leio livros para aprender. Estou sempre apressada. Sou muito mexida. Um dia quero uma coisa, no outro quero tudo. Sofro de um problema de sossego. Não sei o que é estar sossegada. Mais tarde corrijo.

Um dia, eu e essa pessoa desconhecida vamo-nos encontrar por algum motivo e uma intuição talvez nos diga que chegámos à vida um do outro. Eu nem sempre acredito nisso. Mas não posso deixar de estar atenta. Aliás, sou mesmo assim, fico atenta a toda a gente. Gosto de olhar discretamente. Confesso.

Imagino a vida dos outros. Não é por cobiça. É por vontade que dê certo. Por exemplo, vejo alguém sem cabelo e invento que há gente que só gosta de homens carecas e então ser careca passa a ser uma vantagem ou, pelo menos, desvantagem nenhuma.

Acho que invento a felicidade para compor todas as coisas e não haver preocupações desnecessárias. E inventar algo bom é melhor do que aceitarmos como definitiva uma qualquer realidade má. A felicidade também é estarmos preocupados só com aquilo que é importante. O importante é desenvolvermos coisas boas, das de pensar, sentir ou fazer.

As pessoas são tão diferentes. Aprecio muito que o sejam. Fico a pensar se me acharão diferente. Adoraria que achassem. Ser tudo igual é característica de azulejo na parede e, mesmo assim, há quem misture.

Eu sou a favor de uma meia de cada cor. Adoro cores. A minha mãe diz: organiza. Julga que eu baralho demasiado.

Às vezes, fico horas a arrumar o meu quarto. Cansa, mas gosto do resultado no final. Queria muito acreditar em fadas que nos mantivessem os trabalhos chatos sempre feitos. Mas isso não acontece. Para ser menos chato, eu canto no trabalho. Chego a ficar rouca, das horas e da falta de afinação. Sou, enquanto cantora, prima das cacatuas. Não me importo. Ainda assim, eu canto. Adoro cantar.

Estou cada vez mais certa de que o paraíso são os outros. Vi num livro para adultos. Li só isso: o paraíso são os outros. A nossa felicidade depende de alguém. Eu compreendo bem.

Proust

Mães, pais, filhos, outra família e amigos, todas as pessoas são a felicidade de alguém, porque a solidão é uma perda de sentido que faz pouca coisa valer a pena.

Na solidão só vale a pena tentar encontrar alguém. O resto é tristeza. A tristeza a gente respeita e deita fora. A tristeza a gente respeita e, na primeira oportunidade, deita fora. É como algo descartável. Precisamos de usar mas não é bom ficar guardada.

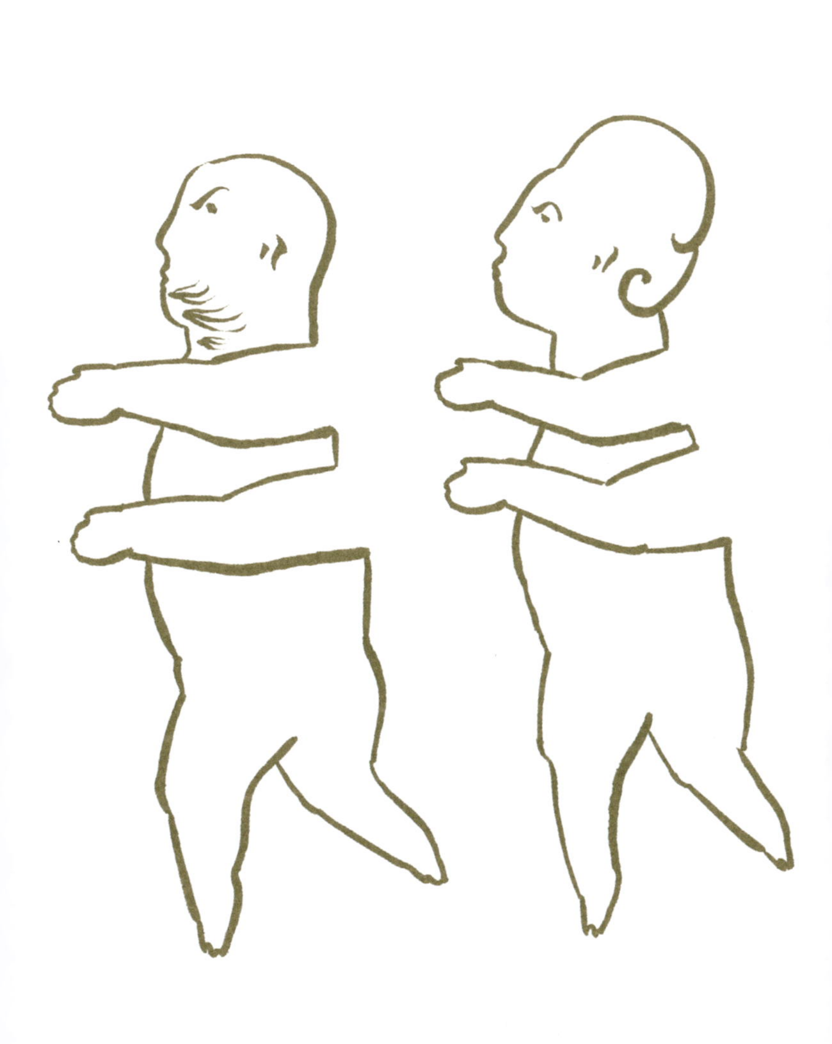

Kafka

Os casais formam-se para serem o paraíso. Ou assim devia ser. Há casais que vivem no inferno, mas isso está errado. Pertencer a um casal tem de ser uma coisa boa. Eu, quando for adulta e encontrar quem vou amar, quero ser feliz. Não vou sequer ter paciência para quem mo impedir. Precisamos de fugir de toda a maldade antes que deixemos de saber fugir. A maldade deve ser eliminada logo na primeira situação.

A minha tia viveu com o meu antigo tio até ao dia em que ele lhe bateu. Depois, fez a mala e foi procurar apaixonar-se outra vez. Quem bate é burro e estúpido. A polícia deve prender. Ela casou novamente. O meu novo tio é brincalhão. Conta anedotas e todos gostamos mais dele. A minha tia até ficou mais bonita. Não sei o que lhe deu.

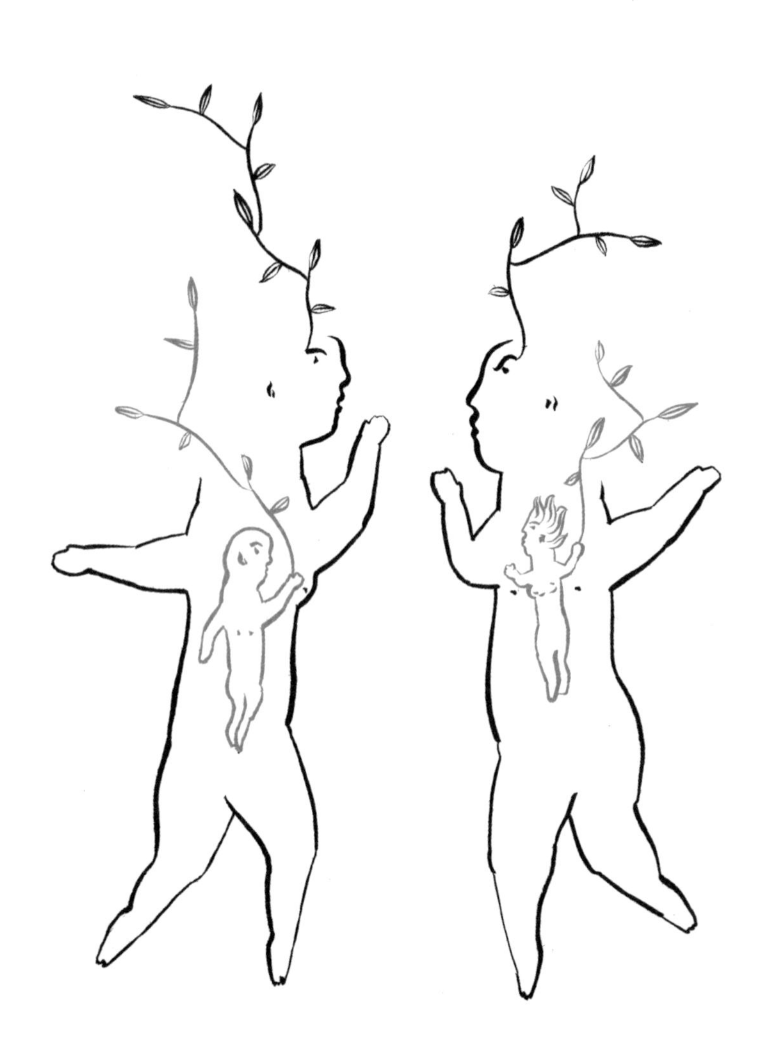

O amor precisa de ser uma solução, não um problema. Toda a gente me diz: o amor é um problema. Tudo bem. Posso dizer de outro modo: o amor é um problema mas a pessoa amada precisa de ser uma solução.

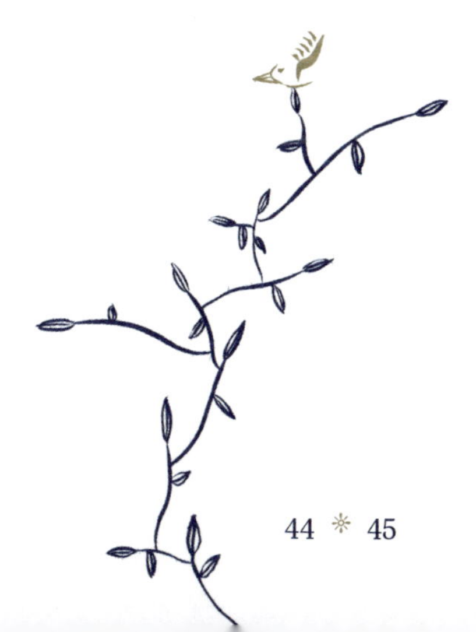

Ah, outra coisa divertida é que alguns casais são formados por pessoas muito velhas. Pessoas muito velhas que se deixam ficar juntas. Chama-se amor para sempre. Dura uma vida inteira e não cansa. Pelo contrário. Mesmo com cem anos, as pessoas agradecem sempre mais amor. Chegam a andar ainda à procura e muitas encontram. Nunca se torna tarde. Tarde é a metade do meio dos dias.

O amor é urgente. As pessoas ficam tão aflitinhas com o amor como quando querem fazer chichi.

As pessoas que amam estão sempre com ar de urgência, porque têm saudades quando não estão acompanhadas e sentem uma euforia bonita quando estão juntas.

Eu acho que as pessoas apaixonadas sentem saudade mesmo quando estão juntas, porque se deixam a olhar umas para as outras pasmadas como se fosse a primeira vez. Até como se fosse a primeira vez que vissem sapos, neve, cataratas, aqueles peixes voadores, jacarés, prédios com mais de trinta andares ou o Miguel a enrolar os olhos.

As pessoas mais velhas, quando são um casal, dão beijos pequenos. As pessoas novas costumam dar beijos mais longos, cheios de paciência. Eu não tenho muita paciência. Devo ter a alma mais velha. Não sei.

Também não acredito muito que beijar seja como construir prédios, embora alguns beijos pareçam cansar. Há casais que ficam mesmo sem ar, como quem andou a carregar tijolos. Não estou certa de que quero que me falte o ar ou de que quero carregar tijolos. Tenho muitas dúvidas. Quando me apaixonar, dizem-me, fico logo esclarecida. Aguardarei desconfiada. Não aceito as coisas à pressa. Preciso de pensar.

nota do autor

Este livro surge depois de, no romance intitulado *A desumanização*, refletir acerca da popular expressão de Sartre. Como acontece ali, decidi que também esta história seria narrada por uma menina. A passagem que me trouxe a este resultado diz:

"O inferno não são os outros, pequena Halla. Eles são o paraíso, porque um homem sozinho é apenas um animal. A humanidade começa nos que te rodeiam, e não exatamente em ti. Ser-se pessoa implica a tua mãe, as nossas pessoas, um desconhecido ou a sua expectativa. Sem ninguém no presente nem no futuro, o indivíduo pensa tão sem razão quanto pensam os peixes. Dura pelo engenho que tiver e perece como um atributo indiferenciado do planeta. Perece como uma coisa qualquer."

Perdoem meus desenhos. Existem por ternura, não por talento. São uma caligrafia para meditar, um gesto no qual procuro imergir para encontrar ideias livres. Quase sempre desenho pela espera ou pelo impasse de um texto. Desenho para escrever.

Mostrar, deste modo, as minhas figuras toscas, muito falhas, é sobretudo mostrar uma companhia de toda a vida: a ansiedade de fazer algo surgir.

V.H.M.

VALTER HUGO MÃE é um dos mais destacados autores portugueses da atualidade. Sua obra está traduzida em muitas línguas, tendo um prestigiado acolhimento em países como Alemanha, Espanha, França e Croácia.

Pela Biblioteca Azul, publicou os romances *o remorso de baltazar serapião* (Prêmio Literário José Saramago), *o apocalipse dos trabalhadores*, *a máquina de fazer espanhóis* (Grande Prêmio Portugal Telecom de Melhor Livro do Ano e Prêmio Portugal Telecom de Melhor Romance do Ano), *O filho de mil homens*, *A desumanização*, *Homens imprudentemente poéticos* e *o nosso reino*.

Escreveu livros para todas as idades, entre os quais: *O paraíso são os outros*, *As mais belas coisas do mundo* e *Contos de cães e maus lobos*. Sua poesia foi reunida no volume *Publicação da mortalidade*.

Outras informações sobre o autor podem ser encontradas em sua página oficial no Facebook.

Este livro, composto na fonte Silva,
foi impresso em papel Offset 150 g/m², na Geográfica,
Santo André, Brasil, setembro de 2024.